Misschien herkent ze mij wel

STICHTING NEDERLANDSE
KINDERJURY
1996

CIP-gegevens

Minne, Brigitte

Misschien herkent ze mij wel / Brigitte Minne; omslag en illustraties
Marja Meijer. - Hasselt, Clavis, 1995. - 64 p. - ill.
ISBN 90 6822 357 7
UDC 82-93 NUGI 220
Trefw.: vriendschap, ziekte, bejaarden

© 1995 Uitgeverij Clavis, Hasselt
Omslag en illustraties: Marja Meijer

D/1995/4124/050
ISBN 90 6822 357 7

Misschien herkent ze mij wel

Brigitte Minne

met illustraties van Marja Meijer

Uitgeverij Clavis, Hasselt

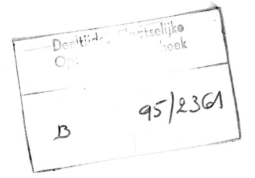

Boon en Koekezwijn

Jasper buigt over de tafel en snuift boven de schotel. De taart ruikt heerlijk.

"Snij jij hem maar aan," lacht Koekezwijn. "Ik ben veel te beverig van die stomme pillen."

Jasper pakt het mes. Hij knijpt één oog dicht en laat het mes nauwkeurig zakken. Zijn tong piept tussen zijn lippen uit als hij het mes in de slagroom en de koek duwt. Hij snijdt twee gelijke punten af.

"Wie snijdt, krijgt de kruimels," mompelt Koekezwijn. Ze geeft Jasper een knipoog.

Jasper likt zijn wijsvinger nat en pikt de kruimels van de schotel.

Koekezwijn heeft er plezier in. Onder haar ogen verschijnen waaiers van lachrimpeltjes. Eigenlijk is haar hele gezicht een verhalenboek van rimpels. Er zijn de rimpels die er altijd staan. De diepe groeven om haar mond als ze pijn heeft. De fronzen in haar voorhoofd als ze nadenkt. En de waaiers als ze lacht. Zoals nu.

Jasper neemt een grote hap van zijn taart. Koekezwijn prikt een stukje op haar vork.

"Lekker, hé, Boon!"

Naast je huis staat een boom. Je loopt er elke dag langs als je naar school gaat. Je gooit je fiets er tegenaan. Die boom staat daar en je vindt dat heel gewoon. Maar op een dag is er een soort vuurwerk in je hoofd. Het knettert en het spettert. En opeens vind je die doodgewone boom best bijzonder. Staat die boom daar al lang? Hoe oud is hij precies? Hoeveel vogels bouwden er een nest in?

Zo'n vuurwerk ging net af in Jaspers hoofd. Voor iedereen is hij Jasper. Alleen Koekezwijn noemt hem Boon. Dat is al jaren zo. Hij heeft er nooit bij stil gestaan. Maar nu wel.

"Waarom noem je mij Boon? Ik heet toch Jasper."

Koekezwijn lacht geheimzinnig. Ze pakt met trillende handen haar kop thee en neemt voorzichtig een slok. Jasper kijkt naar haar handen. Het zijn oude handen. Ze zijn rimpelig alsof ze de hele nacht in zeepsop geplensd hebben. Haar kopje komt rinkelend op het schoteltje neer.

"Jammer dat er geen kampioenschap beven

"Je was pas geboren. Een heel klein ukje..." Ze houdt haar handen ongeveer een halve meter uit elkaar. "Je had een gek wipneusje. Je leek een beetje op Jan Klaassen vond ik. Of op een kabouter... En ik zei: 'Dag Boon.' Dat vond ik een naam die bij je paste. 'Mijn kind komt niet uit een blik tomatensaus,' zei je moeder. 'Ik ben geen groenteboer hoor,' riep je vader. Ze waren niet blij met die naam Boon. Maar goed, ik mocht je toch even vasthouden. 'Kom maar suikerboontje,' zei ik toen. Dat was een opluchting voor je ouders. Ze wisten toen dat ik je geen soepgroente vond."

Jasper glimlacht. Hij vindt de geschiedenis best grappig.

"Het is Boon gebleven," zegt Koekezwijn kordaat.

Jaspers glimlach verandert in een grijns. Natuurlijk is het Boon gebleven. Wat krom is, is krom. Wat recht is, is recht. Wat ze Boon noemt, heet Boon. Zo zit Koekezwijn in elkaar.

Koekezwijn... Het vuurwerk knalt nog wat na in Jaspers hoofd. Zijn overgrootmoeder noemt hem Boon... Maar waarom noemt hij zijn overgrootmoeder Koekezwijn? Alle anderen noemen haar moemoe. Zijn ouders, oma en opa.

"Waarom noem ik je eigenlijk Koekezwijn?"

Koekezwijn kijkt verbaasd op.

"Weet je dat dan niet meer?"

Jasper ploegt zijn hoofd om. Hij haalt zijn schouders op. "Nee."

"Je was ook nog zo klein," lacht Koekezwijn. "Je kon pas lopen. Je ouders kwamen theedrinken. Ik had een hoop koekjes gebakken. Toen je de koekjes zag, maakte je gekke bokkesprongen. Je ouders keken zuur. Ze gaven je altijd van die rijstwafels die naar kurk smaken en die jij niet lustte. Maar mijn suikerkoekjes vond je heerlijk. Je liep naar de schaal en propte je mond vol. 'Je bent een zwijn,' zei je moeder. En jij lachte heel breed. Dat vond je een mooi compliment. Je was dol op varkens. Op de kinderboerderij wilde je altijd eerst naar de biggetjes. Je kwam voor me staan met een brede lach en je zei: 'Ik Boon; jij Koekezwijn.' Het is altijd Koekezwijn gebleven..."

Koekezwijn grinnikt. Wat recht is, is recht. Wat krom is krom. Wat hij Koekezwijn noemt, heet Koekezwijn. Zo zit Jasper in elkaar.

Het glazen huis en het kersje op de taart

Jasper stuift naar de voordeur. Oma opent de deur en opa loopt de gang in. Jasper begroet vluchtig zijn grootouders. Hij gooit zijn jas op de kapstok en stevent dan naar de woonkamer. Koekezwijns rolstoel staat bij het haardvuur. Als ze Jasper ziet, lacht ze haar hele kunstgebit bloot. Jasper drukt een zoen op haar rimpelige wang en snuift. Rond Koekezwijn hangt weer die zoete geur: een mengeling van appeltjes en lavendel.

"Hoi Koekezwijn, wat ruik jij weer lekker."

Met een beverige vinger wijst Koekezwijn naar het voetbankje.

"Kom vlug bij me zitten, vleier."

Mama en papa wuiven in de deuropening.

"Alles goed, moemoe?"

"Gaat wel," lacht Koekezwijn. "Ga maar vlug een aperitiefje drinken. Daar warmen jullie van op."

Jasper moet er elke keer om lachen. Koekezwijn zou evengoed kunnen zeggen: "Kss, kss, maak dat jullie wegkomen. Ik wil met Boon

alleen zijn." Maar nee, ze begint elke keer over dat aperitiefje. Een aardige manier om mensen weg te jagen.

Jasper schuift het voetbankje tot bij haar rolstoel. Ze ziet er ontspannen uit. De diepe groeven om haar mond zijn dunne lijntjes.

"Geen pijn?" polst Jasper voorzichtig.

"Nee, maar ik heb de laatste tijd genoeg pijn gehad," zucht ze.

Mama is ronduit kittelorig als ze pijn heeft, papa volledig van de kaart. Koekezwijn heeft elke dag pijn in die rotbenen. Dat moet vreselijk vervelend zijn.

Koekezwijns hand wrijft over Jaspers hoofd.

"Boon, wat ben ik blij dat je er weer bent," fluistert ze dromerig. Als mama dat zou doen, zou Jasper haar voor slijmjurk uitschelden. Alleen Koekezwijn mag over zijn bol aaien.

Terwijl mama, papa, oma en opa in de andere kamer een glaasje port drinken, blijven Koekezwijn en Boon bij de haard zitten.

"Wat ongezellig dat jullie niet bij ons komen," zei oma eens.

"We kunnen zondags beter verhuizen. Dan kunnen Jasper en moemoe alleen zijn," voegde opa er aan toe.

"Of ze naar een onbewoond eiland brengen," riep mama.

"Wat een onzin," blafte Koekezwijn vliegensvlug. "Boon en ik hebben elkaar gewoon heel veel te vertellen. Zijn jullie jaloers misschien?" Met die woorden snoerde ze iedereen de mond. Ze keken allemaal op hun neus en wisten niet wat ze moesten zeggen. Misschien waren ze wel een tikje jaloers. Koekezwijn en Jasper kunnen het zo goed met elkaar vinden. Elke zondag bouwen ze muren van glas om zich heen.

Het glazen huisje is net groot genoeg voor een rolstoel en een voetbankje. Geen mens kan er nog bij. In dat huisje vertelt Koekezwijn over vroeger. Dat ze met haar drie jongere zusjes in één bed sliep. Dat ze vroeg uit de veren moest om de koeien te melken... Dan hangt Jasper aan haar lippen. Het glazen huisje heeft iets magisch. Als Koekezwijn over de koeien vertelt, ruikt Jasper de stal en hoort hij straaltjes melk in een ijzeren emmer klateren.

"Jaloers... Waar haal je het vandaan, moeder?" snauwde oma.

"Wat een onzin," bromde opa.

"Waar maken jullie je dan druk over?" lachte Koekezwijn.

Hun vaste stekje bleef bij de haard. Daar bouwden ze elke zondag een glazen huisje.

Koekezwijn heeft altijd een raak antwoord klaar. "Heb je een spijkertje, ik heb een gaatje. Heb je een gaatje, ik heb een spijkertje," pocht ze soms.

Ook vandaag hebben Koekezwijn en Jasper elkaar een hoop te vertellen.

"De kermis is weer in de stad. De kramen blijven tot sinterklaasavond staan."

"Ik heb het gezien. Al die kramen... Wat een

14

verschil met vroeger."

"Hoe bedoel je?"

"Nou ja, in het dorp waar ik woonde, was de kermis een snoepkraam en een draaimolen. Meer niet. We kregen dan wat geld van vader. Net genoeg om vier boterkaramels te kopen en een rit op de paardemolen te maken. Dan waren de centen weer op."

Koekezwijn staart dromerig in de vlammen.

"Ik kauwde nooit op de karamels. Ik liet ze altijd langzaam op mijn tong smelten. Zo kon ik er langer van genieten."

"En met Sinterklaas?" vraagt Jasper met de stroperige smaak van boterkaramels in zijn mond.

Koekezwijn dept haar ogen die almaar tranen.

"Die pillen tegen de pijn helpen geen sikkepit en die oogzalf ook al niet," zeurt ze. "Ik lijk wel een waterval." Een beetje boos verfrommelt ze haar zakdoek. Hij verdwijnt in de mouw van haar jurk.

"Sinterklaas was een gierigaard in mijn tijd, Boon. Hij bracht alleen drie sinaasappelen en die moesten we dan nog verdelen ook. Er waren twaalf kinderen. Dat was dus een kwart sinaasappel voor ieder. Gelukkig is de heilige man on-

15

dertussen wat guller geworden."

"Mama zegt dat Sinterklaas alleen nog nuttige dingen brengt. Dat wordt dus een paar pantoffels want mijn oude knellen," pruilt Jasper.

Koekezwijn haalt haar neus op. "Zo, zegt mama dat? Sinterklaas moet leuke dingen brengen."

Er verschijnt een ondeugende twinkel in Koekezwijns ogen. "Dan regel je dat toch zoals ik?"

Oma en opa, mama en papa vinden het maar een gekke bedoening. Koekezwijn zet elk jaar haar schoen klaar. Met een brief erin en een bos wortels aan de ijzeren staven gebonden.

"Als je zelf voor Sinterklaas speelt, is het niet echt een verrassing," giechelt Koekezwijn. "Maar de Sint brengt wel altijd wat je wilt."

Jasper grijnst. Dat is nog niet zo'n slecht idee.

"Wat wil je?"

"Een goochelboek... Een goocheldoos... Iets om te goochelen."

In Koekezwijns voorhoofd prijken denkrimpels. Dan klaart haar gezicht op.

"Op de plank staat nog een oud goochelboek. En in de kast vind je alles voor een goocheldoos."

Ze heeft een boekenkast, een kleerkast, een linnenkast, een porseleinkast, een pannenkast... Kortom, een huis vol kasten zoals iedereen. Daar is niets bijzonders aan. Maar er is ook 'de' kast. En zo'n kast heeft lang niet iedereen. De kast is een gammel stuk meubilair in het washok, dat volgestouwd is met kurken, oude speelkaarten, lege luciferdoosjes, stompjes kaars, veters, elastiekjes, kapotte ritsen, restjes wol...

Vuilnis hamsteren is een ongeneeslijke ouwemensen-ziekte, menen mama en papa. Jasper vindt het handig. Zijn ouders zoeken zich altijd suf naar een elastiekje of een stukje touw. Koekezwijn niet. En in die kast zit inderdaad alles voor een goocheldoos.

"Als papa me straks naar huis brengt, geef ik je het boek. Dan kun je meteen in de kast snuffelen. Dan heb je alles om je schoen te vullen." Koekezwijn geeft een knipoog. Jasper fluit tussen zijn tanden. Dan schieten ze samen in de lach.

"En wat vraag jij dit jaar?" wil Jasper weten als ze uitgelachen zijn. Koekezwijn trekt de zakdoek uit haar mouw en speelt ermee.

"Twee jaar geleden was dat een vracht hooi..." begint ze.

"Voor de ezel die altijd een ijskar trok en nu zijn oude dag op de kinderboerderij doorbrengt," vult Jasper meteen aan.

"Heel goed," lacht Koekezwijn. De twee waaiers zijn er weer.

"Vorig jaar de tuinkabouter met hengel voor bij het vijvertje in de achtertuin," gaat ze verder.

Waarom ontwijkt Koekezwijn zijn vraag? "Het gaat om dit jaar, koekezwijn."

Ze tuurt in de vlammen en frunnikt afwezig aan de zoom van haar jurk.

"Dit jaar heb ik een speciale wens," fluistert ze geheimzinnig.

Jasper brandt van nieuwsgierigheid. Hij gaat

op de punt van het voetbankje zitten.

"Vertel op."

"Goed," mompelt Koekezwijn. "Maar geen woord tegen de anderen. Ik wil het hen zelf vertellen."

Jasper zet zijn tanden in wijs- en middenvinger en steekt ze dan in de lucht. "Erewoord," zweert hij plechtig.

Koekezwijn spreekt zacht. Ondertussen kijkt ze schichtig naar de deur of er niemand komt.

"Vorige week was het alsof mijn benen in brand stonden. Een ondraaglijke pijn. En die pillen hielpen alweer geen barst... Ik ben het spuugzat, Boon."

Dat begrijpt Jasper. Maar wat wil Koekezwijn? Een paar nieuwe benen kopen? Dat lijkt hem moeilijk.

"Het bloed in mijn benen kan moeilijk stromen. Dat komt omdat de bloedvaten versleten zijn. Vandaar die pijn. Maar alles wat aftands is, kan vervangen worden," grinnikt Koekezwijn. "Ook bloedvaten. Ze stoppen gewoon plastic buisjes in je benen. En dan verdwijnt de pijn. Geen pijn meer, dat zou ik heerlijk vinden." Mijmerend tuurt ze in de vlammen. "Benen waarvan je vergeet dat ze aan je lichaam hangen omdat ze geen pijn doen... Zoals vroeger." Koekezwijn ziet zichzelf als klein meisje hinkelen, met haar vriendje op de kermis een polka dansen, als jonge moeder met haar zoon naar het strand gaan, in de golven springen.

Ze wil dus geen andere benen, maar nieuwe bloedvaten. Een raar sinterklaasgeschenk. Het dagdromen in de dansende vlammen houdt op. Een onzichtbare hand tekent een paar fronzen op Koekezwijns neusvleugels. Fronzen die er staan als ze ernstig is. Ze pakt Jaspers hand in de hare.

"Het vervelende is dat ik zo oud ben. Een operatie op mijn leeftijd is niet zonder gevaar."

"Bedoel je..." Jasper wringt zijn hand los. Hij kijkt Koekezwijn met schotels van ogen aan. In zijn normaal gesproken gladde voorhoofd verschijnen nu ook rimpels.

"Ja, dat bedoel ik," zucht ze. "De kans is klein... Maar toch... Alleen, ik ben het beu om almaar pijn te lijden. Anderzijds wil ik ook niet in een operatie blijven. Snap je?"

Jasper slikt. "Ik weet niet, hoor... Ik..."

De deur zwaait open. "Ik hoop dat jullie uitgekletst zijn. Het eten staat op tafel," schalt papa.

Koekezwijn legt haar gezicht meteen in een andere plooi. "Uitgepraat zijn we nooit," kaatst ze vinnig de bal terug. "Maar ik heb wel honger. Wat eten we?"

"Hutspot."

"Mijn lievelingskostje!" schreeuwt ze.

"En het mijne!" flapt Jasper eruit.

"Heel toevallig," bromt papa terwijl hij Koekezwijns rolstoel naar de eetkamer duwt.

Na de hutspot serveert oma gebak. Het kersje van haar punt schept Koekezwijn op Jaspers bord. Met een glimlach verdwijnt het in zijn mond. Het kersje op de taart. Hun teken van trouw. Net zoals Indianen bloedbroeders worden.

Een trommel in Koekezwijns hoofd

Jasper loopt in één adem naar huis. Hij gooit het tuinhek open en stormt naar de keukendeur. De hele dag heeft hij aan Koekezwijn gedacht. Koekezwijn die een paar dagen geleden plastic buisjes in haar benen kreeg. En die nu geen pijn meer zal hebben. De groeven om haar mond die voor eeuwig verdwenen zullen zijn. Vanavond mag hij haar voor het eerst een bezoek brengen. Hij heeft een verrassing voor Koekezwijn. Hij zal een kleine voorstelling geven. Hij zal een speelkaart door de tafel slaan, een zakdoek in een wc-rol laten verdwijnen en de truc met de veter doen. Hij moet alleen nog een hoge hoed van stevig papier maken.

Op de deurmat blijft de goochelaar zonder hoed stilstaan. Mama en papa hebben niet in de gaten dat hij er is. Hier is iets mis. Dat ziet Jasper meteen. Mama's gezicht is als een landkaart vol rode meren. Papa leunt verslagen tegen het aanrecht. Het is alsof er een kever met ijzige poten over Jaspers lichaam kruipt. Er gaat een koude rilling langs zijn rug en zijn knieën knikken.

"Verdraaide eigenwijze vrouw," huilt mama. Ze snuit haar neus in een vel keukenrol en kiepert het propje nijdig in de pedaalemmer. "Op die leeftijd een operatie ondergaan. Dat moest verkeerd aflopen. Ik heb het honderd keer gezegd."

Papa legt zijn hand op mama's schouder. "Het was haar wens, schat."

"We hadden het moeten verbieden," snottert mama.

"Moemoe is een volwassen vrouw," oppert papa.

"Ik heb zo mijn twijfels," snift mama. "Een brief schrijven aan Sinterklaas, een ezel adopteren, jezelf nieuwe bloedvaten cadeau doen... Is dat volwassen?"

Papa haalt radeloos zijn schouders op. "Ze is wel een tikje apart maar ze weet heel goed wat ze wil, schat."

"Te goed," murmelt mama verdrietig.

Jaspers keel voelt kurkdroog aan. "Koekezwijn... Is er iets met Koekezwijn?" piept hij.

Mama's gezicht verkrampt. Tranen stromen weer over haar wangen.

"Sta je daar al lang?"

"Lang genoeg."

"Is ze... is ze..." Jasper stort zich struikelend in de armen van zijn moeder.

"Nee, ze is niet dood," snottert mama. "Ze is er wel heel erg aan toe."

"Heel erg?" Jaspers stem wordt in mama's trui gesmoord. Zo hard drukt ze hem tegen zich aan.

"Heel erg," snift ze.

Jasper huilt heel diep. Ondertussen streelt mama zijn hoofd. Haar trui is doorweekt als Jasper zich loswringt. Papa stopt een zakdoek in Jaspers handen. Jasper veegt zijn wangen droog.

"Ik wil naar haar toe," mompelt hij.

Mama kijkt papa wanhopig aan.

"Ik zeg het wel," stamelt papa met hese stem. Hij kijkt afwezig naar zijn handen en bijt een maantje van een vingernagel.

"Koekezwijn ligt op een afdeling waar kinderen niet toegelaten zijn: intensive care."

Jasper slikt. "Intens... Hoezo? Hoe kan dat nu? Ik wil Koekezwijn zien. Ik zal heel stil zijn..." sputtert hij.

"Daar gaat het niet om, Jasper. Ze heeft een buisje in haar neus, een hoop apparaten aan haar armen en hoofd. Het ziet er allemaal griezelig uit. Vandaar dat kinderen..."

"Ik ben niet bang voor buisjes en apparaten," foetert Jasper.

Mama gaat voor Jasper staan. Ze legt haar handen op zijn schouders en kijkt diep in zijn ogen.

"Het spijt me, maar kinderen mogen er echt niet in. Ze heeft ook rust nodig en..." De rest blijft in mama's keel hangen.

"Je wilde nog meer zeggen," zegt Jasper fel.

Radeloos geeft mama een teken aan papa.

"Moemoe... Eh... Koekezwijn herkende mama en mij niet," zucht papa. "Ze reageert heel ver-

25

ward. De operatie is haar te veel geweest. Ze heeft trombose gehad."

Jasper slikt. "Trombose?"

"Dat is een klontertje dat zich in een bloedvat nestelt. Zo'n klontertje is naar de hersenen gestroomd. Daardoor valt een deel van de hersenen uit. Ze kan zich nu nog moeilijker bewegen en bepaalde dingen kan ze zich helemaal niet meer herinneren. Ze kan nog beter worden. Maar dat is lang niet zeker. Het ziet er niet zo goed uit."

Jaspers lip trilt. "Misschien herkent ze mij wel..."

Mama's handen glijden moedeloos van Jaspers schouders. Ze vindt het zo sneu voor Jasper. Hij en moemoe zijn onafscheidelijk. Als eeneiige tweelingen. Tweelingen die weliswaar vierenzeventig jaar schelen.

"Je kunt echt nog niet naar haar toe, lieverd. Je moet wachten tot ze beter is."

"En wanneer is dat?" De ontgoocheling en het verdriet hebben Jaspers stem zo bros als een beschuitje gemaakt.

Mama haalt haar schouders op. "Ik weet het niet..."

Laat ik iets leuks doen met Jasper, denkt ze. Dan denkt Jasper niet almaar aan moemoe.

"We kunnen misschien samen een taart bak-ken. Een lekkere appeltaart met kaneel," stelt ze heel lief voor.

Een appeltaart in plaats van Koekezwijn? Wat haalt mama in haar hoofd. Over een dwaze, idio-te, stomme ruil gesproken. Het brosse beschuitje wordt een enorm boerenbrood.

"Ik wil geen appeltaart met kaneel," tiert Jas-per. "Ik wil naar Koekezwijn." Hij holt boos weg. De keukendeur wordt met een oorverdovende knal dicht gegooid. Als een jonge olifant stormt hij de trap op. Mama wil achter hem aan rennen. Papa grijpt haar bij haar arm. "Laat hem maar even."

Jasper gaat nukkig op zijn bed zitten en trekt nijdig zijn veters los. Zijn schoenen trapt hij in een hoek.

Trombose, trom-bose, trom, bom, bom. Het woord roffelt in zijn hoofd als een trommel. Een boze trommel. Een trommel die ook in Koeke-zwijns hoofd gespeeld heeft. En mensen en din-gen weggeroffeld heeft. Zijn ouders bijvoorbeeld. Maar het plekje waar hij zit, moet er nog zijn. Koekezwijn is heel bijzonder voor hem en hij voor haar. Jasper pakt piekerend een elastiekje uit de goocheldoos. Hij windt het verstrooid om zijn vinger. Ze hebben het recht niet om hem te verbieden naar Koekezwijn te gaan. Het is gewoon niet eerlijk. Toen Koekezwijn hoorde dat hij waterpokken had, belde ze meteen een taxi.

"Ik kan Jasper wat gezelschap houden. Dan heb jij je handen vrij," zei ze tegen mama.

Koekezwijn heeft toen hele spannende verhalen verteld. Verhalen van vroeger, die echt gebeurd waren. Vooral twee verhalen zijn Jasper bijgebleven. Verhalen van slimme Floor, Koekezwijns vader, zijn bedovergrootvader.

Op een dag wilde slimme Floor een groter huis kopen. Helaas had hij daar geen geld voor. In die tijd waren de mensen erg bijgelovig. Daar maakte slimme Floor gretig gebruik van. In de schemering trok hij een laken over zijn hoofd en danste rond een huis dat te koop stond. De mensen bleven angstvallig uit de buurt van het huis waar het bij het vallen van de avond spookte. Geen mens durfde het griezelhok te kopen. Voor een klein prijsje werd het huis toen van Floor.

En dan die keer in de oorlog. Alle monden vullen was niet niks. Dus trok Floor erop uit om konijntjes te strikken. Maar dat mocht niet. De politie deed een inval. Ze zochten het hele huis af.

Slimme Floor had de konijntjes in bed verstopt. Met een laken erover. Op het nachtkastje stond een kaars te branden.

"Een beetje respect voor mijn overleden schoonmoeder," mompelde slimme Floor met tranen in zijn ogen. De agenten boden hun deelneming aan en verdwenen. 's Avonds at het hele gezin zijn buik rond.

Jasper vond het zielig voor de konijntjes maar slimme Floor was wel een kei van een kerel.

De blaasjes op zijn lichaam jeukten verschrikkelijk. Maar als Koekezwijn vertelde, vergat Jasper te krabben. Ze leerde Jasper ook haken. Van restjes wol maakten ze samen een knikkerzak.

Koekezwijn had niets gevraagd of gezegd toen ze kwam. Mama was erg verbaasd toen haar grootmoeder met haar rolstoel op de stoep stond.

"Een aardbeving, een leger woeste vikingen, een kudde hongerige leeuwen kunnen mij niet tegenhouden," grapte ze. "Ik wil Boon zien."

Als Koekezwijn voor geen aardbeving, woeste vikingen en hongerige leeuwen terugdeinst... Waarom zou ik dan de kakbroek uithangen, denkt Jasper. Slimme Floor zou wel een list verzonnen hebben. En Koekezwijn ook.

Jasper stelt zich voor dat hij slimme Floor is. Hij denkt diep na. Er groeit een plan in zijn hoofd. Punt een: je moet vooral geen argwaan bij je ouders wekken, denkt slimme Floor in Jaspers plaats. Doe een beetje braaf. Dan ruiken ze geen lont. Op de overloop voor de spiegelkast trekt Jasper een paar slijmbalbekken. Met een engelengezichtje loopt hij op kousevoeten de trap af.

"Zullen we toch maar een taart bakken?" vraagt hij poeslief in de keuken.

"Natuurlijk, lieverd." Mama pakt opgelucht een kom en een pak bloem uit de kast.

"Breek jij de eieren, Jasper?"

Als Jasper de eieren op de rand van de kom tikt, blaast slimme Floor het vervolg van het plan in zijn hoofd. Vol overgave klutst Jasper de eieren.

Het plan van slimme Floor

Jasper zit als een verkleumd paaskuiken in elkaar gedoken achter de kruiwagen. Naast hem staat het oude aquarium. Hij houdt zijn adem in als de keukendeur dicht slaat. Een bos sleutels verdwijnt klingelend in mama's handtas. Papa's zware stap, gevolgd door mama's vlugge pasjes, knerpen in het grint. De garagepoort zwaait piepend open. Het autoportier wordt geopend en weer dichtgegooid. De motor van de auto slaat aan en valt dan onmiddellijk weer stil. Opnieuw wordt de auto gestart. De motor kucht, hoest, rochelt en zwijgt dan koppig. Papa vloekt.

Verdraaid, die snertauto doet het niet. Daar had Jasper niet op gerekend. Mama en papa gaan nu natuurlijk naar het werk fietsen. En ramp-oh-ramp hun fietsen staan op vijftig centimeter van de kruiwagen en het oude aquarium waar Jasper verscholen zit. Het plan dat slimme Floor in zijn oor fluisterde, is naar de haaien. Jasper kan nu een serieuze uitbrander verwachten. Zijn ouders denken dat Jasperlief naar school is.

"Druk die knop eens in naast het stuur," roept papa.

Jasper houdt zijn vingers gekruist. "Vooruit, autootje, stukje oud roest," murmelt hij.

Het is alsof de motor Jaspers woorden hoort. Hij slaat aan en ronkt. Blijft ronken. Jasper kan wel juichen. Dansen. Maar hij doet het niet. Het paaskuiken blijft muisstil zitten tot hij zijn ouders hoort wegrijden. Dan klautert hij behendig over de kruiwagen en sluipt het tuinhok uit. Hij grabbelt op zijn buik naar het touwtje met de huissleutel. Bij de telefoon vist hij een briefje uit zijn broekzak. Hij toetst een nummer in.

"Taxi Express, kan ik u helpen?"

Jasper haalt diep adem.

"Ja. Papa heeft net gebeld, mevrouw. Mama ligt in het St.-Jansziekenhuis. Ik moet zo vlug mogelijk naar haar toe. Papa zei dat ik een taxi moest bellen."

"Goed. Waar kunnen we je oppikken?"

"Thuis."

"En waar is dat?"

"Eh... in de Oude Veldstraat nummer 12."

"Prima, we komen eraan."

Jasper legt opgelucht de hoorn op de haak. Geslaagd!

In de voortuin gaat Jasper op het muurtje wachten. Express wil vlug zeggen, weet Jasper. Taxi Express is een slecht gekozen naam. Jasper zegt wel tien gedichten op, telt de vogels die voorbij fladderen, de paaltjes die de wei omheinen, de tegels van het tuinpad. Het duurt een eeuwigheid voor de taxi eindelijk voor de deur stopt.

"Stap maar in, jongeman. Je moet naar het St.-Jansziekenhuis?"

Jasper knikt en gaat op de achterbank zitten.

De taxichauffeur fluit een wijsje tijdens de rit. Jasper hoort vooral de teller tikken. Angstvallig ziet hij de cijfers voor zijn ogen razen. Als ze twee straten verder zijn, is het geld in zijn broekzak al op. Jaspers gezicht wordt vuurrood. Zijn hoofd bonst en zijn handen voelen klam aan. Hij had er geen idee van dat taxi's zo duur zijn. Zal hij uitstappen? Ik kan zeggen dat ik me niet lekker voel en terug naar huis lopen, denkt Jasper. Maar dan krijg ik Koekezwijn niet te zien. Hij blijft radeloos zitten. Het bedrag op de teller is ondertussen goed voor een paar nieuwe rolschaatsen, twee bouwdozen, een hele speelgoedwinkel... En het ziekenhuis is nog lang niet in zicht.

Jasper schuifelt ongedurig wat heen en weer.

De taxichauffeur kijkt hem in de achteruitspiegel lachend aan.

"Mieren in je broekzak?"

Nee, geen geld in mijn broekzak, denkt Jasper ellendig.

"Op jouw leeftijd was ik net zo. Ik kon geen seconde stilzitten."

De taxichauffeur fluit lustig door. Goed dat hij niet weet wat er aan de hand is. Hij zou minder vrolijk klinken, denkt Jasper.

Wat zou slimme Floor in zo'n situatie doen? Jasper spit zijn hersens om. Hij zet alles nog eens op een rijtje. Zijn vader belde dat hij naar het ziekenhuis moest komen. Zijn moeder is doodziek.

Dan kun jij niet weten dat je genoeg geld op zak moet hebben, denkt slimme Floor in Jaspers hoofd.

De fluitende taxichauffeur ziet er niet als een kwaaie kerel uit.

"Ik heb niet genoeg geld bij me," mompelt Jasper.

Het gefluit houdt op. "Wat zeg je?"

"Ik heb niet genoeg geld op zak." Jaspers stem trilt. Hij kijkt verlegen naar de punten van zijn schoenen en boort zijn nagels in het leer van de achterbank.

"Geen probleem, dan vraag je dat geld gewoon aan je vader. Hij is toch in het ziekenhuis?"

"Eh ja..."

"Nou dan?"

De fluit wordt ingeruild voor een tamtam. De chauffeur trommelt met zijn vingers op het stuur.

Jasper piekert zich suf. Hij heeft zichzelf er mooi ingeluisd. Waarom zei hij 'ja'? Hij kan zichzelf wel voor zijn kop slaan. Wat nu, slimme Floor, denkt hij wanhopig. Doe een beetje zielig, hoort hij slimme Floors stem. Dat scoort goed bij grote mensen.

"Papa kan niet naar buiten komen. Mama is doodziek. Ze ligt op intens..." Verdorie, dat moeilijk woord schiet hem niet te binnen. En het ging net zo goed. Het klonk ontzettend zielig.

"Intensive care," helpt de taxichauffeur. Hij stopt met trommelen en kijkt Jasper vol medelijden aan. Er springen tranen in Jaspers ogen. Ik word nog erger dan slimme Floor, denkt hij.

"Dan stuur ik toch gewoon de rekening," bromt de taxichauffeur goedig. "Ik weet waar je woont."

Jasper kan de tamtam- en fluitspeler wel om zijn hals vliegen. Hij voelt zich toch een beetje schuldig dat hij jokte tegen zo'n aardige man. Maar het is tenslotte voor het goede doel.

Bij het ziekenhuis geeft de taxichauffeur hem een schouderklop.

"Kop op, kereltje."

Jasper voelt zich een echte bedrieger als hij de enorme stenen trap oploopt. In de grote hal van het ziekenhuis hangt een lichtbak.

'Intensive care: derde verdieping', leest Jasper.

De dame achter de balie gaapt Jasper aan. Wat komt dat knaapje hier doen? Jasper voelt haar ogen op zijn buik branden. Hij krijgt een kleur. Wat nu? Hij moet iets verzinnen. Er staat een groep artsen bij de lift te wachten.

Hij wijst naar een van de witte ruggen. "Mijn

papa," lacht hij naar de vrouw.

"Zo zit dat dus," murmelt de dame en ze knip-oogt. Met knikkende knieën loopt Jasper naar de lift. De deur floept open. Jasper wurmt zich tussen de witte schorten naar binnen. De arts die niet weet dat hij Jaspers vader is, drukt op een knop. Het lampje van de tweede verdieping licht op.

"Waar moet jij naartoe?" vraagt hij vriendelijk.

Opnieuw stijgt het bloed naar Jaspers hoofd.

"Derde verdieping," murmelt hij. "Mijn mama werkt daar."

"Je mama?"

"Ja. Ze is verpleegster. Ik mag er wel niet in, hoor. Ik moet bij de lift wachten. Intensive care, weet u wel?"

De man glimlacht en knikt. Ook hij neemt alles voor zoete koek aan. Op de tweede verdieping stappen de witte schorten uit. De deuren sluiten zich weer en de lift stijgt tot de derde verdieping.

Mama tikt een brief voor haar baas. Zonder dat ze het weet is ze een verpleegster op de intensive care-afdeling. Papa zoekt een adres in de computer. Ook hij heeft er geen flauw benul van dat hij arts is. Een arts die eerdaags een enorme rekening van Taxi Express in de bus vindt. Mama en papa denken dat Jasper op een schoolbank zit en ijverig sommen maakt. Ook dat hebben ze mis. Jasper heeft net een taxichauffeur in de maling genomen, de juffrouw van de balie voor schut gezet en een arts als nieuwe vader uitgekozen.

Diezelfde Jasper staat nu op zijn tenen en gluurt door het raam in de deur. Op die deur staat in koeieletters: 'Intensive care'. Er is een gang in het midden. Aan de zijkanten zijn glazen kamers waar bedden staan maar ook toestellen met rode en groene flikkerende lampjes. Het is

alsof achter de deur een andere planeet is. Jasper kan helaas niet zien wie in de bedden ligt. Maar wat pas echt tegenvalt, is dat het er wemelt van de witte schorten. Hoe kan Jasper hier onopgemerkt binnendringen? Hij kan zich laten vallen en gaan kreunen. Dan halen ze hem wel binnen. Maar ja, dan geven ze hem misschien een spuit of hangen ze zo'n bak met lichtjes aan hem. En dat wil hij niet.

Groeipillen bestaan er jammer genoeg niet. En die witte schorten zullen hem niet geloven als hij ze vertelt dat hij dertig is en al jaren niet meer groeit.

Het belletje van de lift rinkelt. Een dame in een blauwe overall en een vrouw met een roze schort stappen uit de lift. Ze trekken een kar achter zich aan. Een kar met linnenmanden, bezems, zwabbers en emmers.

De vrouw met de overall gaat vragend voor Jasper staan.

"Wat kom jij hier doen? Wacht je op iemand?" Ze praat door haar neus. Haar stem heeft iets van een papegaai. Of nee, een marsman. Marsvrouw. Dat past bij de flikkerende lampjes.

"Eh... Ja... Eh... ja mevrouw. Op mijn moeder."

"En wie is je moeder dan wel?" vraagt de andere vrouw. Haar stem klinkt als een bel.

De marsvrouw en de bel maken het Jasper niet gemakkelijk.

"Een verpleegster die hier werkt."

"Hoe heet ze? Wil je dat ik zeg dat je hier wacht?"

"Nee, ze weet ervan."

"Goed dan."

Jasper is blij dat de dames niet nog meer vragen stellen. De bel zet de deur met een klem vast. Samen trekken ze de kar in 'intensive care'. De marsvrouw sluit de deur.

Een heks om te zoenen

De wieltjes van de kar hotsen over een kleine drempel. De kar komt weer tot stilstand. Jasper voelt een lichte plof op zijn hoofd. Eén van de dames mikt weer een hoop vies linnen in de mand. Een zure plaswalm dringt Jaspers neus binnen. Hij wil zijn neus dichtknijpen, toch doet hij het niet. Hij houdt zich muisstil onder de linnenhoop. Hij hoort zeemlappen over de ramen piepen, zwabbers in emmers plonzen en over de vloer glibberen. De bel en de marsvrouw kwetteren nu als verkouden mussen.

"Heb je het al gehoord van dokter Willems?" fluistert die met de overall. "Hij heeft zijn auto weer in de prak gereden."

"Alweer? Je meent het niet! Maar goed dat hij flink poen verdient."

Er komt opnieuw beweging in de kar. Jasper durft bijna niet meer te ademen. De kar wordt weer naar een andere kamer getrokken.

Opnieuw klinkt er gezwabber en worden ramen gelapt.

"Dat is een nieuwe."

"Ze is niet meer een van de jongsten."

"Wat zou ze hebben?"

"Geen idee. Haar benen zitten vol zwachtels. Een operatie misschien."

Een nieuwe, niet meer een van de jongsten, zwachtels om de benen, een operatie... Koekezwijn, flitst het door Jaspers hoofd. De schoonmaaksters hebben het over Koekezwijn. Hier ligt ze. Hier moet hij zijn. Hij duwt voorzichtig de punt van een laken opzij. Een zwabber kletst pal voor zijn neus over de vloer. Jasper geeft bijna een gil. Zijn neus is drijfnat. Vliegensvlug bedekt hij opnieuw zijn gezicht met het laken. Versteend blijft hij onder de lakenhoop zitten. Gelukkig hebben de schoonmaaksters niets gemerkt. Met zachte stemmen kwebbelen ze verder.

"Trek in een kop koffie? We hebben net verse gezet," vraagt een onbekende stem. Een van de witte schorten zeker.

"Graag," antwoorden de schoonmaaksters gretig. De zwabber, de spons en de zeemlap vliegen met een plons in de emmer. Hun slippers klikklakken weg.

Jaspers hart kruipt luid bonzend naar zijn slapen. Het scheelde maar een haar of ze hadden hem ontdekt. Het liefst zou hij in die stinkmand blijven. Hij vindt het plan van slimme Floor griezelig spannend. Het is nu of nooit, pompt hij zichzelf moed in. Vooruit. Hij duwt de lakentoren van zijn hoofd, piept zijn hoofd boven de rand van de mand. Met schichtige vosseogen spiedt hij om zich heen. De kust is veilig. Haastig klautert hij uit de linnenmand. Op handen en voeten sluipt hij naar het bed. De vloer is nat. Het zeepsop dringt door zijn broekspijpen en mouwen tot op zijn huid. Bij het ijzeren bed richt hij zich langzaam op. Ondertussen gluurt hij angstvallig naar

de ramen. Er zijn geen witte schorten te bespeuren. Ze drinken zeker allemaal koffie.

Er gaat een schok door hem heen als hij in het bed kijkt. Hij heeft het goed geraden. Het is Koekezwijns kamer. Maar hij herkent haar bijna niet. Gewoonlijk heeft ze honing met perzikwangen. Nu zijn haar wangen hoogrood. Tussen de rimpels kronkelen dieproze adertjes. Haar voorhoofd glimt van het zweet. Met een pleister is er een buisje op haar wang geplakt. Het buisje mondt uit in een propje mousse. Dat propje steekt in een neusgat en verspreidt een zacht gesuis. De neusvleugel is daardoor gezwollen. Ze heeft iets van een bokser.

"Koekezwijn," fluistert Jasper. "Wakker worden. Ik ben het: Boon."

Het hoogrode gezicht beweegt niet. De ogen blijven gesloten. Jaspers lip begint te trillen. Tranen wellen op in zijn ogen. Heeft hij die hele tocht voor niets ondernomen?

"Koekezwijn, Koekezwijn," probeert hij luider. "Ik ben het: Boon."

Koekezwijn hoort een stem. Zacht. In de verte. Bijna onhoorbaar door het ruisen in haar hoofd. Ze probeert te kijken. Haar oogleden wegen zwaar en trillen van de inspanning. Aarzelend gaan haar ogen open. Een nevel van plukken schapewol drijft boven de velden. Dat beeld had ze vaak toen ze naar school ging. Maar vreemd genoeg staan er geen koeien te grazen. In een wei, tussen de slierten nevel, dwaalt een gezicht. Koekezwijn knippert met haar ogen. De ruisende wind in haar hoofd blaast de plukken wol uit elkaar. Het beeld wordt helderder. Scherper. De ogen, de wipneus... Net als ze meent het gezicht te herkennen, wordt het gezicht alweer met een waas omhult. Waar komt die waas vandaan? Van de damp van de waterketel misschien?

"De waterketel," ijlt Koekezwijn bijna onver-staanbaar. "De waterketel moet van de kachel."

Wat zegt Koekezwijn? Dat de waterketel van de kachel moet?

"Hier is geen kachel," murmelt Jasper bang. "En ook geen waterketel."

"De koeien moet ik nog melken."

Jaspers hart is ondertussen naar zijn buik ge-zakt. Daar hamert het hard en onophoudelijk. Hij wil zeggen dat er geen koeien zijn maar de woor-den blijven in zijn keel steken. Koekezwijn doet zo vreemd. Ze kijkt zo raar. Haar ene oog staart strak voor zich uit. Het andere tolt omhoog alsof het los in haar hoofd zit. Jasper is bang voor het oog. Voor Koekezwijn.

Zijn lip trilt. Er rolt een traan langs zijn neus.

"Ik ben het, Boon," snikt hij tevergeefs.

Koekezwijn sluit haar ogen weer.

Ze kent me niet meer. Ik ben uit haar hoofd verdwenen. Als een potloodventje uitgegomd. Weggeroffeld door die ellendige trommel.

"Wat voer jij hier uit?"

Jasper draait zich verschrikt om.

Een verpleegster met een enorme neus kijkt hem boos aan. Ze doet hem aan een boze heks denken.

"Ik... Ik..." Hij komt niet uit zijn woorden. Dikke tranen druppen op zijn jas.

De boze heks neemt Jaspers hand in de hare en trekt hem achter haar aan. "Kom maar mee," zegt ze lief. Te lief voor een boze heks.

Jasper kijkt nog even om naar Koekezwijn. Haar ogen blijven gesloten.

De verpleegster brengt hem naar een bureau. Ze wijst naar een stoel.

"Ga maar zitten. Lust je chocolademelk?"

Jasper knikt. De heks haalt een pak chocolademelk uit een la. Met een schaar prikt ze een gaatje in het karton. Ze steekt er een rietje in en zet de chocolademelk voor Jasper neer. "Drink maar."

Braaf neemt Jasper een slokje.

"Is dat je oma?"

Jasper schudt met zijn hoofd. "Koekezwijn...
Eh moemoe, zeggen de anderen... Mijn overgrootmoeder. Ze herkent me niet meer," piept hij.
Met horten en stoten vertelt Jasper het hele verhaal.

"Het gaat momenteel niet zo goed. Ze heeft
hoge koorts," zegt de verpleegster zacht. "En de
trombose speelt natuurlijk ook een rol. Trombose
is..."

"Ik weet wat trombose is," murmelt Jasper.
"Mama en papa hebben het uitgelegd." De tranen blijven stromen. Alsof er een lekkende kraan

in zijn hoofd zit. Beschaamd veegt hij steeds zijn wangen droog.

"Je moet niet het slechtste denken. Koek... Eh... Moemoe kan nog beter worden."

Moemoe kan nog beter worden. De woorden zingen in Jaspers hoofd. Als dat eens waar was... Koekezwijn en hij die weer samen bij de haard zitten. Vertellen.

"Echt waar?"

"Echt waar," glimlacht de verpleegster. "Maar ik kan je niets beloven."

Jasper vindt de verpleegster een heks om te zoenen.

Ze duwt het pak chocolademelk nog maar eens in zijn handen.

"Ik denk dat we nu beter je ouders kunnen bellen."

Jasper knikt. Terwijl hij de naam van het bedrijf zegt waar papa werkt, glijdt de wijsvinger van de verpleegster over een blad in de telefoongids.

Als de verpleegster papa aan de lijn heeft, vraagt ze hem Jasper te komen halen. Papa snapt er geen sikkepit van. De verpleegster moet alles twee keer uitleggen.

"Je vader klonk niet boos," stelt ze Jasper

gerust. "Drink maar lekker de chocolademelk op. Dan loop ik even met je mee naar de hal. Hij pikt je over een half uur op. Maar eerst gaan we nog eens bij moemoe kijken. Goed?"

Koekezwijn ligt nog steeds met haar ogen dicht.

"Ze slaapt," mompelt de lieve heks.

Dan legt ze haar handen als een schelp om het oor van Jasper. "Je mag me elke dag bellen om te vragen hoe het met haar gaat. Goed?"

Jaspers gezicht klaart op. "Heel goed," fluistert hij.

In de gang kriebelt de lieve heks haar naam en telefoonnummer op een blocnote. Ze scheurt het velletje af en duwt het in Jaspers hand.

"Lidi," leest Jasper hardop.

Hij zit nog maar pas in de hal als papa komt aangestoven. Mama is ook mee. Met kleine pasjes holt ze achter hem aan. Ze stormen naar Jasper en omhelzen hem. De zoenpartij is als een octopus die met zes armen om zich heen grijpt. Als de octopus weer drie mensen is, bedankt papa Lidi.

Voor de rest van de dag nemen papa en mama vrij. Als papa naar huis rijdt, kruipt mama bij Jasper op de achterbank. Jasper voelt zich doodmoe. Hij is suf van de spanning. Slimme Floor is een uitputtende kerel.

Hij wil slimme Floor uit zijn hoofd bannen. De heldendaden in een kistje bergen. Hij wil gewoon een jongen van acht zijn. Hij vleit zijn hoofd tegen mama's schouder. Ze drukt een zoen op zijn hoofd en aait heel lief over zijn bol.

"Jij dappere, lieve jongen," fluistert ze vlakbij zijn oor. "Je bent me er een, Boon."

Friet in een filterzak

Jasper duwt de knop in. De microfoon houdt hij dicht bij zijn mond. Het bandje suist zacht.

Dag Koekezwijn,

Vandaag geen huiswerk en ook geen lessen! Dat komt omdat er iemand jarig was. De jarige had voor alle kinderen een appel mee. Een dikke, rode appel. Toen ik een appel uit de mand koos, schoot ik in de lach. Ik dacht aan het grapje dat jij heel lang geleden met je broer uithaalde. Weet je nog? Jij hing een appel met een touwtje in de pereboom. En je jongste broer geloofde dat er ook appels aan perebomen groeiden. De juf wilde weten waarom ik zo'n pret had. En toen ik het verhaal vertelde, moest iedereen lachen. Wacht maar tot de herfst. Wedden dat in ons dorp de perebomen vol appels hangen? Wat vond je van de tekening? Mama zei meteen: "Dat is moemoe en dat ben jij. Jullie lijken er sprekend op!"
Ik heb twee keer dezelfde tekening gemaakt.

Een voor jou en een voor mij. De tekeningen zijn niet helemaal gelijk. Op mijn tekening heb je een groene jurk aan want mijn blauwe stift was leeg. En de wielen van je rolstoel zijn meer vierkant dan rond. De tekening hangt aan de deur van mijn kleerkast. Als ik niet kan slapen, kijk ik ernaar. Dan beeld ik me in dat het zondag is. Wij zitten dan bij de haard. Jij vertelt verhalen van vroeger. En dan hoor ik je stem in mijn hoofd. Dan is het alsof je bij me bent. En nu hoor jij mijn stem op het bandje...

Jasper wil zeggen: dan is het alsof ik een beetje bij jou ben. Maar hij zegt het niet. Hij drukt op de stopknop en legt de microfoon naast zich. Zou Koekezwijn zijn stem herkennen? Hij twijfelt soms. Ze deed zo raar in het ziekenhuis... Hij zit er nog mee in zijn maag. Lidi beweert dat de bandjes een weldaad zijn voor Koekezwijn.

"Moemoe's ogen lichten op en ze glimlacht als ze je stem hoort," vertelde ze over de telefoon. "Ze heeft dezelfde glimlach als ze naar je foto kijkt. Elke dag gaat het beter met haar. En daar help je haar bij, Jasper. Meer dan je denkt. Je bent een gouden kereltje." En ook mama en papa, oma en opa zeggen dat Koekezwijn veel beter is.

Dat gouden kereltje vond Jasper wat overdreven. Maar Lidi's woorden gaven Jasper toch een keigoed gevoel. Het was alsof hij op het paard van de Rode Ridder reed, in een knalrode racewagen naar school snorde, tijdens de wereldkampioenschappen een beslissend doelpunt scoorde of in een geheime grot een oude piratenschat vond... Hij helpt Koekezwijn genezen. GENEZEN! Jasper duwt opnieuw de opnameknop in.

Het gaat goed met je, zei Lidi. Lidi is de verpleegster met de lange neus. Ze lijkt een beetje op een heks maar ze is heel lief. Ik telefoneer elke dag met haar. En dan vertelt zij hoe het met je gaat. Zij doet dan ook de groeten van mij. En mama en papa zijn ook een stuk vrolijker als ze van het ziekenhuis komen. 'Moemoe haalt het. Het is een kranige vrouw,' zeiden ze gisteren nog. Je mag gauw weg van 'intensive care'. Dan mag ik bij je op bezoek komen. Daar verlang ik zo naar. Ondertussen stuur ik je elke dag een bandje.

Jasper snuift. De geur van friet dringt zijn neus binnen.

Mama bakt frietjes. Het hele huis ruikt ernaar. Ze heeft de afzuigkap vergeten aan te zetten, denk ik. En dat vergeet ze ook als er spruitjes gaar koken... Stel je voor. Dan is het hier een kots-huis! Maar nu vind ik dat niet erg. Ik hou van friet. Bij jou eet ik altijd friet uit een koffiefilter, hé?!

"Eten!" roept mama uit volle borst aan de trap.

Hoor je mama? Ik moet eten. Tot straks, Koe-kezwijn.

Jasper drukt de stopknop in en rent zijn kamer uit. Hij stormt de trap af. Mama zet een grote kom frieten op tafel.

"Mag ik de mijne uit een filterzakje?"

Mama glimlacht. "Dacht ik het niet," mompelt ze. Ze pakt een filterzakje uit de kast en schept die vol frieten.

"Eet je de salade en de gevulde tomaat ook uit een zak?" plaagt papa.

"Dat mag in een bord," lacht Jasper. Hij vist een frietje uit de zak, blaast het koud en stopt het in zijn mond.

"Moet je ook eens proberen, pap. Veel lekkerder zo!"

De laatste friet zit in Jaspers keelgat als de telefoon gaat. Mama neemt de hoorn op. Ze lacht naar Jasper en steekt haar duim omhoog. "Goed, ik zal het hem vertellen. Je moet op kraambezoek, Jasper."

Jasper springt op en loopt naar de kapstok. Mama hangt nog aan de telefoon, als hij al op de deurmat staat.

"Mag ik weg?"

"Van mij wel," zegt papa.

Mama legt even haar hand op de hoorn. "Over een half uur ben je weer thuis," roept mama. Dan praat ze verder met Klaas.

Als een haas holt Jasper de hoek om. En na een een half uur loopt hij met een feestsnoet dezelfde hoek weer om. Maar dan in de andere richting. Terug naar huis.

Mama en papa zitten voor de televisie. "En?" roept mama.

"Ze had er zes. Ik moet nog wel een paar weken wachten."

"En weet je hoe je ze moet verzorgen?"

"Klaas heeft alles uitgelegd."

"Ga nu maar vlug slapen," zegt papa.

Jasper geeft zijn ouders een nachtzoen en loopt blij naar de badkamer. Hij plenst wat water in zijn gezicht en poetst zijn tanden. Dan schiet hij zijn pyjama aan. Op bed pakt hij de recorder van zijn nachtkastje. Hij grabbelt opgewonden de microfoon beet.

Hoi Koekezwijn, hier ben ik weer. Ik ben net op kraambezoek geweest. Moet je horen. Klaas, een jongen van mijn school heeft witte muizen. Een van die muizen heeft jonkies. En ik mag er twee hebben. Ik heb mama en papa wel moeten beloven dat ik goed voor de muisjes ga zorgen: dat ik ze op tijd eten en drinken geef en hun bak schoonmaak en zo. Ik moet wel een tijdje wachten. Ze zijn niet om aan te zien, zo roze en kaal. Maar als ze haar hebben zijn ze schattig. Klaas heeft er die heel tam zijn. Ze eten uit zijn hand en kruipen in zijn mouw. Als ze groot genoeg zijn, en dat is al binnen een paar weken, ga ik ze halen. Papa en ik hebben dat oude aquarium uit het tuinhok gesleept. Het stond er nog van de vorige huurders. Tjonge, wat is dat een zware bak. Hij lekt wel, maar voor muizen maakt dat niet uit. De buurman gaf me een grote zak houtkrullen. Die had hij van de zagerij meegebracht waar hij werkt. En van mama kreeg ik geld voor een molentje. Dat is zo'n ding waarin ze kunnen lopen. Als ik dan naar school ben, vervelen de muisjes zich niet. Ik heb ook een hele speeltuin van karton en rietjes geknutseld: een glijbaan, een schommel, een wip en een levende brug. Papa lachte zich krom. Hij denkt dat die speeltuin een hoop snippers wordt, omdat muizen knaagdiertjes zijn. Morgen ga ik naar de bibliotheek. Kijken of ze daar een boek over muizen hebben.

Ik wil je ook wat vragen. Wil je me helpen met het zoeken naar mooie namen voor de muisjes. Daar ben jij ook goed in, hé?!

Ik ga nu maar slapen, want anders heb ik morgen weer van die wallen onder mijn ogen. En dan ziet mama dat ik te lang wakker gebleven ben. Want nu denken ze dat ik al lang slaap en ik zit hier met de bandrecorder. Hou je taai, Koekezwijn. Een dikke zoen van Boon.

Het lichtje in Koekezwijns hoofd

Lidi heeft niet gelogen. Het gaat beter met Koe-kezwijn. Ze ligt niet meer op 'intensive care' maar in een gewone kamer zonder flikkerende lampjes.

Papa zit met een keelontsteking aan zijn bed gekluisterd. Mama rijdt met Jasper naar het zie-kenhuis. Op de achterbank knauwt Jasper alle nagelriemen van zijn vingers. Hij heeft ook een hol gevoel in zijn buik. Alsof hij op het startschot van een wedstrijd wacht. Hij wil Koekezwijn dol-graag zien maar hij is ook bang. Bang dat ze weer over de koeien en het waterketeltje begint.

"Moemoe is af en toe verward," legt mama uit. "Soms praat ze over dingen van vroeger alsof ze nu gebeuren. Maar soms is ze ook heel helder."

Als ze voor Koekezwijns kamerdeur staan, knijpt Jasper van pure spanning mama's hand fijn.

"Het valt wel mee," spreekt mama Jasper moed in. Jasper haalt diep adem en mama duwt de deur open.

Koekezwijn zit rechtop in bed. Haar gezicht heeft weer de gewone kleur: honing met perzikwangen. Ze steekt een arm uit als ze Jasper ziet.

"Boon," murmelt ze. "Boon."

Jasper stevent op haar af. Ze omhelzen elkaar heel innig.

"Dank voor de bandjes, je tekeningen en de foto," fluistert ze in Jaspers oor. Ze huilt een beetje. En Jasper ook. Na de zoen trommelt Koekezwijn met een hand op de rand van het bed. "Kom vlug bij me zitten."

Jasper wipt op het bed. Hij kijkt naar haar

ogen. Ze kijken weer zoals vroeger. Koekezwijn streelt beverig Jaspers vingers. Jasper speelt spin op haar oude hand. Een rimpelige hand met dunne huid die bezaaid is met bruine vlekjes.

"De operatie is geslaagd. Ik heb geen pijn meer," zegt Koekezwijn. "En dat is mooi." Haar stem klinkt schor. Ze spreekt moeizaam. Haar borst piept als het scharnier van een oude kastdeur.

"Ik heb wel trombose gehad. Mijn linkerbeen wil nu helemaal niet meer," zucht ze. "En mijn ene arm is als een houten stok. Die poot ligt daar maar te liggen. Ik kan hem met moeite optillen. Kijk maar." Ze zet haar tanden op elkaar. De arm gaat een paar centimeter omhoog. "Het zal beteren met oefeningen," zegt de dokter. "Laten we het hopen."

Koekezwijn pakt Jaspers hand en kijkt hem in zijn ogen. "Er is nog meer..." fluistert ze. "Soms is mijn bovenkamer niet in orde... Praat ik een beetje wartaal... En dan moet je maar niet al te erg schrikken, Boon. Dan moet je maar denken dat het licht in mijn hoofd even uit gaat."

Jasper knikt. Hij kijkt Koekezwijn vol medelijden aan.

"Trek niet zo'n begrafenisgezicht. Ik ben nog

niet naar pierenland hoor," plaagt Koekezwijn. Daar moet Jasper om lachen. Koekezwijn is anders en toch ook de oude.

De glazen wanden zijn er weer, denkt mama. Ik sta hier voor Piet Snot. Maar ze gunt moemoe en Jasper die fijne momenten. Meer dan ooit. Ze gaat heel stil op een stoel zitten.

Koekezwijn en Boon verzinnen een hoop namen voor de muizen: Lotje en Duiveltje en Tijl en Bas en Pepijn en Loek en Nel... Maar ze kunnen moeilijk beslissen.

"We moeten samen eens goed naar de muisjes kijken," zegt Koekezwijn. "Dan kunnen we beter een naam kiezen. Want als we nu Bas en Nel kiezen dan lijkt Bas misschien helemaal niet op Bas. En ziet Nel er helemaal niet uit als Nel. Zo was het ook met jou. Jij leek helemaal niet op Jasper."

"En jij helemaal niet op moemoe," lacht Jasper.

Dan vertelt Jasper over het plan van slimme Floor. Koekezwijn is een en al oor. Ze wordt er heel stil van. Dat Boon zo'n tocht voor haar ondernam...

Als hij halverwege zijn verhaal is, stokt Jaspers adem. Koekezwijns ene oog stijgt langzaam op, zoals met het waterketeltje. Het licht in haar hoofd wordt gedoofd.

"Het laken. Het laken waarmee je op het dak danste?" vraagt Koekezwijn verward. Ze ziet lange Floor rond het huis dansen. Over het dak zweven. Over de velden met nevel dwalen.

Jasper laat zich van het bed zakken. Mama komt bij hem staan en legt haar arm om zijn schouder.

"Het lichtje is voor een tijdje uit. Heel gauw floept het weer aan," fluistert ze. "Zo gaat het altijd."

Jasper knikt. "Blijven we nog even tot het weer aan gaat, mam? Ik wil het hele verhaal vertellen."

Inhoud